ROSIE LEE, THE LIBRARY DOG

W9-APX-832

ISBN 978-2-211-20171-1
Première édition dans la collection *lutin poche*: juin 2010

Loi numéro 49 956 du 16 juillet 1949 sur les publications
destinées à la jeunesse: avril 2009
Dépôt légal: octobre 2013
Imprimé en France par Pollina à Luçon - L66374

Mario Ramos

LE LOUP QUI VOULAIT ÊTRE UN MOUTON

Pastel
lutin poche de l'école des loisirs
11, rue de Sèvres, Paris 6e

«Je veux être un mouton...»
commence Petit Loup.
Les autres loups éclatent de rire.

Puisque c'est comme ça, Petit Loup se tait.
«De toute façon, ils sont trop bêtes
pour comprendre!» se dit-il.

**Petit Loup rêve de sortir du bois
et de s'élever dans le ciel.**

Mais pour voler, il faut des ailes
et les loups n'en ont pas.
Cependant,
Petit Loup a bien observé les moutons :
eux non plus n'ont pas d'ailes,
et pourtant, parfois, ils s'envolent.

Aujourd'hui, Petit Loup s'est déguisé en mouton.
À quatre pattes dans le pré,
il mâchouille quelques brins d'herbe.
«C'est pas bon», songe-t-il.

Les moutons le regardent, méfiants.
Mais vu d'en haut, l'illusion doit être parfaite.

En effet, Petit Loup n'attend pas longtemps.
L'aigle royal fonce sur lui et c'est le décollage !

Quelle sensation extraordinaire!
Petit Loup reconnaît à peine sa forêt.
Pour la première fois, il voit des champs,
des rivières, des lacs, des montagnes.
Il n'aurait jamais cru
que la terre était aussi grande.

Soudain, l'aigle l'abandonne
en haut de la montagne.

Un silence inquiétant le glace de terreur.
Petit loup regarde les os qui l'entourent,
et tout à coup, il comprend
que l'aigle emporte les moutons
pour les dévorer.

Furieux de ne pas avoir compris plus tôt,
Petit Loup jette tout ce qui l'entoure dans le vide.
Il arrache son déguisement et hurle:
«Cervelle d'oiseau, volatile imbécile,
tu me prends pour qui?
Je ne suis pas un mouton!
Et je ne me laisserai pas manger comme ça!»
Mais seul l'écho lui répond.

Petit Loup se calme et réfléchit :
«Je dois trouver une solution pour sortir d'ici
avant que cet oiseau de malheur ne revienne.»

Derrière un rocher, Petit Loup découvre
un trou sombre et étroit.
Ça fait peur, mais il n'a pas le choix.
Il s'accroupit et s'enfonce courageusement
dans les entrailles de la montagne.

Après une éternité à ramper dans le noir,
il doit s'arrêter:
la galerie est bouchée par un éboulis.
Petit Loup a envie de pleurer.

De rage, il pousse de toutes ses forces
pour dégager le passage.

Et il tombe dans le ciel.

De justesse,
Petit Loup se rattrape à un arbuste
et se retrouve suspendu
entre ciel et terre.

« Au secours, au secours ! »
appelle-t-il.
Mais personne ne répond.
La nuit tombe.
Les heures s'écoulent lentement.

Quand la lumière revient,
les oiseaux commencent à chanter.

Petit Loup sent ses forces l'abandonner.
Il ferme les yeux et lâche prise.

**Sa chute se termine au milieu des moutons.
«Au loup! Au loup! Au loup!»
hurlent les moutons affolés,
en fuyant de tous côtés.**

Petit Loup se redresse
et secoue la poussière de son pelage.
Il se met tranquillement en route et dit :

«Bien sûr que je suis un loup.
Mais pas n'importe quel loup!
Moi, j'ai touché les nuages!»